神奇校车

# 拜访企鹅

文：［美］乔安娜·柯尔
图：［美］布鲁斯·迪根

四川出版集团　四川少年儿童出版社

版权合同登记号：图引字 21-2005-044 号

作者在此感谢美国自然历史博物馆的路易斯·N·苏金，感谢他为本书提供的专家建议。


Based on *THE MAGIC SCHOOL BUS* books written by Joanna Cole and illustrated by Bruce Degen.
Written by Judith Bauer Stamper.Illustrations by Ted Enik.

**图书在版编目（CIP）数据**

拜访企鹅／（美）柯尔著；（美）迪根绘；漆仰平译.
成都：四川少年儿童出版社，2005（2007.8 重印）
（神奇校车）
ISBN 978-7-5365-3571-8

Ⅰ.拜… Ⅱ.①柯…②迪…③漆… Ⅲ.企鹅目－儿童读物 Ⅳ.Q959.7-49

中国版本图书馆 CIP 数据核字（2005）第 083274 号

**神奇校车—— 拜访企鹅** （美）乔安娜·柯尔著 （美）布鲁斯·迪根绘 漆仰平译

策　　划：颜小鹂
责任编辑：李奇峰　漆仰平
装帧设计：曹雨锋
责任校对：阜　秀
责任印制：王　春

出　　版：四川出版集团　　四川少年儿童出版社
网　　址：http://www.sccph.com　　http://www.chinesebook.com.cn
地　　址：四川成都槐树街 2 号　　邮政编码：610031
电　　话：028-86259232（发行部）
经　　销：全国新华书店　　印　　刷：成都市辰生印务有限责任公司
成品尺寸：185mm × 130mm　印张：3.5　字数：56 千
印　　数：22 001-27 000 册
版　　次：2005 年 10 月第 1 版　　印　　次：2007 年 8 月第 5 次印刷
书　　号：ISBN 978-7-5365-3571-8
定　　价：8.00 元

## 去南极探究企鹅

我刚刚去了南极，读《拜访企鹅》一书倍感亲切。而且这本书写得很活泼，加入了不少拟人的想象，孩子们读起来一定会更入迷。

关于企鹅，我2005年6月在《DEEP中国科学探险》上发表了一篇题为“捕捉企鹅深沉之音”的文章，详细介绍了四种分布在南极的企鹅的叫声。它们叫声的共同特点是频率很低，基本上都低于5千赫，有的种类能量最高的部分竟然集中在1千赫左右的区间中。从动物的行为生态学上讲，这是容易理解的：在南极大陆这样非常开阔的地方，动物要彼此寻找到自己的部落、配偶、父母或者孩子，最主要的就是依靠叫声。而声波的特点是频率越低，传播距离越远。所以，企鹅要想将自己的声音传播得很远，就需要使用低频率的叫声。如果您有兴趣，请点击网站www.deepworld.com.cn，就可以听到这些叫声。

不过，我发现关于企鹅还有不少有争议的地方，比如说全世界的企鹅究竟有17种还是18种，这一直没有统一。我本人并非专门的企鹅学者，也抽不出时间把这个事情搞清楚。读这本书的少年朋友，不妨去追究一下。学问就是这样边学边问出来的。还有，关于企鹅的中文名字，也是五花八门，比如说巴布亚企鹅，又被称为金图企鹅；帽带企鹅，又被称为颏带企鹅；麦克罗尼企鹅，又被称为浮华企鹅。希望在将来，你们能够逐渐地把它们的中文名称统一起来。

另外，请小朋友们注意，不少科普书籍说“企鹅共17种，其中4种住在南极”这一句，准确的表述应该是“其中4种在南极繁殖”，指的是帝企鹅、阿德利企鹅、巴布亚企鹅、帽带企鹅。除了这4种之外，在南极还可以见到王企鹅、喜石企鹅和麦克罗尼企鹅。

最后，也希望小朋友们努力学习科学知识，锻炼好身体，也能亲身到南极去看看，拜访可爱的企鹅。

张树义
中国科学院动物研究所研究员

# 介 绍

嗨！我叫菲比，是弗瑞丝小姐班上的学生。

你可能听说过弗瑞丝小姐（我们有时就叫她“弗老师”）。她是位特别优秀的老师，只是有一点点奇怪。科学课是她的最爱，而且从来没被难倒过。

弗瑞丝小姐带领我们搭乘神奇校车，展开了许多次实地考察。相信我，所有事情都神奇极了。只要坐上神奇校车，我们永远猜不到接下来将会发生什么怪事。

弗瑞丝小姐经常带给我们惊喜。我们呢，也有办法可以猜到她脑袋里正在琢磨的特殊事情——只要看她的打扮就行啦！

有一天，弗瑞丝小姐穿着一套我们从没见过的裙子走进教室。我们的第一个反应是——又有一段旅程开始啦！可谁能猜出我们最终会停在哪里呢？就连她自己都惊讶不已啊！让我来告诉你，神奇校车来到地球尽头所发生的故事吧！

# 1

今天我可不想迟到！我飞快地跑进弗瑞丝小姐的教室里。

“菲比，当心！”卡洛斯冲我大喊。

我立刻停下，四处张望。只见一只巨大的纸鹰正在我头上飘飘荡荡。

“呀！”我尖叫。

卡洛斯正用一根绳子拽着那只纸老鹰，想把它吊在天花板上。但老鹰却扑闪着翅膀，像是要猛冲过来把我吞下。

“哇！卡洛斯！”我说，“好酷的大鸟！”

“它是一只秃头鹰！”卡洛斯自豪地说，“曾经危在旦夕，不过现在——”

“现在我们才危在旦夕呢。”多罗西打断他，嘲笑卡洛斯的老鹰太小了。

“哼，你这是嫉妒。”卡洛斯对多罗西说，“我的老鹰比你的知更鸟大十倍呢！”

“不是嫉妒。”多罗西说，“我只是觉得，大

家正在研究的所有鸟儿都很神奇。”

就在这时，弗瑞丝小姐冲了进来。她连忙蹲下，及时躲开了卡洛斯的老鹰。老鹰的爪子刚好掠过弗瑞丝小姐那长着红鬈发的头顶。

“各位同学，早上好！”弗瑞丝小姐说，“我看见你们都带了鸟类的报告。在交报告前，咱们先去进行一次实地考察！”

“啊？”阿诺德叫道，“早知如此，我今天就该待在家里。”

教室里的每双眼睛都盯着弗瑞丝小姐的裙子。我们从没见过这套衣服，主调是蓝色的——像天空一样的蓝色——很多鸟儿在上面飞翔着。

“弗瑞丝小姐！”卡洛斯说，“这条裙子是给鸟穿的！”

大家嘘声一片，都觉得也就鸟儿爱听这种笑话。

“弗瑞丝小姐，我们要去观察鸟类吗？”带

姆问。

“稍等一会儿，”弗瑞丝小姐回答，“首先，我要让你们认识一个人。”

我坐不住了，开始兴奋，因为这是我盼望已久的时刻。

“菲比！”弗瑞丝小姐对我说，“把客人领进来好吗？”

我跑到门口，舅舅塞西尔正在那里等着。他有点儿害羞。我拉着他的胳膊，拽他进教室。

“伙伴们，”我骄傲地介绍，“这是我的舅舅塞西尔。”

塞西尔舅舅站在教室前面，与我并排站着。他的脖子上挂着双筒望远镜，是用来观察鸟的。长腿、尖鼻子的舅舅让人觉得有点儿像鹳鸟。

“同学们好！”塞西尔舅舅说，“大家就叫我塞西尔吧。”

塞西尔舅舅从澳大利亚来，有着浓重的澳

洲口音。

“塞西尔好！”大家格格地笑着说。

“我们在做一个有关鸟类的专题报告。”弗瑞丝小姐解释道。

“好哇！”塞西尔舅舅说，“谁能告诉我，鸟是什么？”

还没等其他人反应过来，多罗西突然起立。

**多罗西的笔记**

**鸟的共同特征**

鸟是有羽毛的动物。它们在巢里下蛋，小鸟孵出前，蛋需要保持一定的温度。

鸟是热血动物，大部分会飞——但不是全部。

“根据我的资料显示，”她开始说，“鸟类的共同特征是……”

“真聪明！”塞西尔赞美多罗西，“非常优秀的报告！”

“我们正在研究世界各地的鸟类。”拉尔夫说道。

“塞西尔舅舅是一位鸟类学家，”我向大家解释，“就是专门研究鸟类的人。”

“企鹅是我最喜欢的鸟类，”塞西尔舅舅说，“我去过两次南极洲，就是为了研究企鹅。不过大家别把那里与北极圈搞混了，北极在北边，那里是没有企鹅的！”

“酷！”卡洛斯说。

“事实是，酷寒！”塞西尔对卡洛斯说，“真的真的非常冷！”

“在那么冷的地方，鸟类怎么生存呢？”汪达问。

## 塞西尔的企鹅报告

企鹅是不会飞的鸟类。地球上有17种企鹅。多数企鹅生活在南半球的冰冷水域中，包括南极洲；其他居住在澳大利亚、非洲和南美洲。

企鹅不能飞翔，它们用已经变成鳍状的翅膀在水中游泳。有些企鹅要把一生中75%的时间泡在水里。但同时，所有的企鹅都在陆地、或是连接陆地的冰上繁殖后代。

“它们穿雪衣！”阿诺德脱口而出。

“企鹅看起来是像穿着雪衣，”塞西尔说，“其实那是真正的羽毛。企鹅的羽毛可以抵御能把人冻成冰的寒风酷冷。”

“弗瑞丝小姐，咱们不是去南极，对吧？”阿

诺德紧张地问。

“不去，阿诺德。”弗瑞丝小姐说，“我们只是要去一个鸟类保护区。因为天气开始变冷，很多鸟类正在迁徙。现在正是观察鸟类的好时机！”

弗瑞丝小姐从桌上的大盒子里拿出好多望远镜。

“来！每人一副，这是观察鸟类的好帮手！”

我们每人都拿了一副望远镜，挂在脖子上，然后抓起外套和背包。弗瑞丝小姐提醒我们要穿得暖和一些。接着，她抱起我们的班级蜥蜴——里兹，带着我们朝着校车走去。

我注意到，塞西尔舅舅还提着他的小箱子。好像他无论到哪里，都会带上那个小箱子。小箱子上还写着：“不许看！！警告你！”神神密密 的。

“舅舅！”我问，“那里面是什么？”

“保密。”塞西尔舅舅悄悄对我说，“最高机密！”

“你是说，连我也不告诉吗？”我问。

“现在不行，”塞西尔说：“或许以后可以！”

我们挤进神奇校车，对接下去要发生的事情一无所知！

# 2

神奇校车呼呼地在路上飞驰。所有同学都拿着望远镜四处观望。我们通过望远镜看着经过的一切 —— 绿树、小鸟，甚至还包括车里的人！

我坐在舅舅旁边，我们两人就在弗瑞丝小姐的正后方。我注意到，舅舅小心翼翼地把那只小箱子放在他的大腿上。

“塞西尔舅舅，”我低声问，“能不能告诉我，那是 —— ”

我被后面拉尔夫的一声大叫打断了。

“多罗西，别闹了！”拉尔夫大喊。

多罗西正在用望远镜上下左右地“观察”拉尔夫。“哈哈！拉尔夫，你真是个有趣的标本！”

多罗西说道。

“我不是标本！”拉尔夫抗议，“我是人！”

“嗯，基本差不多。”多罗西转着眼珠说。

这时，弗瑞丝小姐向塞西尔舅舅提了一个问题。他们在讨论鸟类迁徙模式和一些我听不懂的问题。

我开始坐不住了。校车里越来越热，而我们都包在厚厚的冬衣里。

“好热呀！”阿诺德抱怨着。他坐在挨着过道的第一个位子上。

“我也是！”我说，“这辆校车简直就是一个大烤箱！”

“弗瑞丝小姐，”阿诺德问，“能把空调打开吗？”

但弗瑞丝小姐把全部注意力都放在开车和与塞西尔舅舅聊天上，她根本没听见阿诺德说的话。

拉尔夫，别动！
多罗西，别闹了！

“嘿，菲比！”阿诺德说，“你可以够着仪表板上的冷气按钮吗？”

我看了看神奇校车的仪表板，上面有一大堆奇怪的按钮，不过有一个红色的按钮，上面标着银色的冰柱。

“我觉得，咱们不该在没有征得弗瑞丝小姐的同意时，去动任何东西。”我对阿诺德说。

“哦，可我快被烤成棉花糖了！”阿诺德说，“我得采取行动！”

阿诺德伸出手，用力摁下那个带冰柱符号的红按钮。我看见里兹在奋力地用尾巴阻止他。

弗瑞丝小姐肯定是用余光瞥见了阿诺德，她大喊：“别按！阿诺德！”

可一切已经太迟了！

“我干了什么？”阿诺德惊叫。此时，神奇校车开始晃动，变——变——变。

“你按了‘酷寒’键！”弗瑞丝小姐厉声说道。

她的声音听上去很紧张，眼睛紧盯着仪表板，那上面的转盘和闪光灯全变了。我记得以前曾经见过这种情况。神奇校车变成了神奇喷气机！

“发生什么事了？我们要去哪里？”我问弗瑞丝小姐。

但我的声音被淹没在引擎的咆哮中。这时，座位上的指示灯开始闪烁。

系紧安全带！

准备起飞！

引擎的咆哮声越来越大。突然，喷气机的加速力量把我们压在椅背上。我朝窗外看去，大地正在嗖嗖地向后跑。

神奇喷气机正加速滑行，准备起飞。塞西尔舅舅系紧了他的安全带，又检查了我的。看得出来，他有一点儿激动。毕竟，这是他第一次搭乘神奇校车去实地考察。

“至少这里凉快多了。”阿诺德说。

“别急，阿诺德。”弗瑞丝小姐说，“你马上就能凉快个够！”

我注意到，弗瑞丝小姐眼中又出现了那道熟悉的“一亮”。但我还注意到了别的。

“你看！”我对阿诺德说，“她的裙子变了！”

我们都盯着弗瑞丝小姐的裙子，主调还是蓝色，但大部分鸟儿都在天空中消失了。现在，有一群鸟儿出现在很像冰面的地方。等我再仔细看看，才辨认出那些是企鹅。

“弗瑞丝小姐，”阿诺德紧张地问，“我们要去哪里？”

就在这一刻，飞机起飞了。很快，我们就航行在云间。弗瑞丝小姐轻轻打开自动驾驶仪，然后站起来，面向我们。

“多谢阿诺德，”她说，“我们刚刚改变了实地考察的计划。按下‘酷寒’键后，就只能往前飞了。我们正在飞往南极 —— 地球尽头的酷寒地带。

“南极洲！”至少有10个人异口同声地喊出来。

**来自弗瑞丝小姐的讲堂**

## 世界的尽头

有些人分不清“南极洲”和“北极圈”。

南极洲是一大片冰冻的陆地，环绕着南极；北极圈是一片巨大的冰冻海洋，环绕着北极。

南极洲是：

· 世界上最冷的大陆。

· 世界上风最强的大陆。

· 世界上平均海拔最高的大陆。

· 世界上人口最少的大陆。

“我觉得该上地理课了！”弗瑞丝小姐宣布。她打开头上的行李箱，拿出一个大大的地球仪。里兹跳上去，用尾巴指着南极洲。

“我们现在向南飞。”弗瑞丝小姐说，“一直往南。”

“嘿！看窗外，”卡洛斯大叫，“我认为咱们正在雨林上空。”

大家全都俯在窗边向下看。柔软鲜绿的丛林地毯就在我们下面，连绵不绝！

弗瑞丝小姐指着地球仪上的巴西，说：“我们现在肯定是在这里——亚马孙雨林的正上方。”

多罗西忙着敲她的计算器。“根据我的计算，”她宣布，“我们已经飞过赤道了。”

“没错，”弗瑞丝小姐说，“我们已经在南半球了。这里不是冬天，而是夏天。”

“如果南极洲是在夏天，”我问舅舅，“是不是表明整个南极大陆的冰雪都融化了？”

“非常好的问题，菲比。”塞西尔舅舅说，“但答案是‘不会’。即使在夏天，南极洲也是冻结的。南极洲的冰如果融化了，融化的冰水就会把整个世界都淹没了！”

“咱们还要多少时间才能到南极洲？”拉尔夫问，“我好想看企鹅啊！”

“用不了多久就到了。”弗瑞丝小姐回答，“准备一下吧！”

她摁下喷气机控制板上的一个键。一瞬间，我们座位上的行李箱突然打开，橘黄色的包裹掉到每个人的腿上。

“穿上你们的探险服吧！”弗瑞丝小姐命令道，“南极洲虽然是夏天，但你们还是需要保暖！‘酷寒’可不是徒有虚名啊！”

# 3

在剩下的飞行时间里，我们都穿着御寒套装 — 里面是保暖内衣，外面又是好几层。

阿诺德在过道上摇摇摆摆地走着。“怪不得企鹅走路的样子那么有趣。”他说，“填这么满，行动起来真是困难！”

“阿诺德，坐回你的座位。”弗瑞丝小姐命令，“准备降落！”

我看着座位上方的闪光灯。

系紧安全带！

准备降落！

“我们在哪儿降落？我根本没看见一个机场啊！”我一边问舅舅，一边检查安全带。

“飞机和船都能来到南极洲。”舅舅说，“有些科学家住在南极洲，尤其是在夏天。好几个国家已经在这里建立了研究站。连游客都能来这里参观呢！”

飞机越飞越低，渐渐靠近水面。突然，我们看见了下面的蓝色海洋上漂着的巨大冰块。

“弗瑞丝小姐，我没看见机场呀！”拉尔夫喊出来，“我们准备紧急降落在海面上吗？”

弗瑞丝小姐太忙了，根本顾不上回答拉尔夫的问题。我看见她正按着键盘，核对着电脑上显示的信息。

在我旁边，塞西尔舅舅正把他的小箱子紧紧地抱在胸前。

“菲比，”他紧张地问，“你能保证弗瑞丝小姐知道她自己在做什么吗？”

就在我们要垂直扎进海里时，令人惊叹的事情发生了！

神奇校机变成了神奇校船！我们都坐在小船舱里的长凳上，而不是飞机的座位上。弗瑞丝小姐不再操控飞机了，她现在手握舵轮。

“大副塞西尔，我需要你的帮助！”弗瑞丝小姐召唤舅舅。

“是！船长！”塞西尔舅舅答道。他立刻站

弗瑞丝小姐肯定
知道如何破冰前进！
冰冰弗瑞丝号

起来，走到舵轮边，与弗瑞丝小姐一起掌舵航行。他们还一起研究南极洲的地图。

“喂！伙伴们！”卡洛斯大叫，“快看，鲸！”

我们都跑到卡洛斯站的地方，盯着窗外。大家没过多久就看见一只鲸。那只鲸正把一大柱水吹向空中。鲸的呼气特别强，海面上溅起一大片水花。

大家都觉得水柱好壮观。不料，一只巨大的蓝鲸突然出现在我们面前。它身长足有二十几

米，难怪说它是地球上最大的哺乳动物！

“鲸不吃船，对吧？”阿诺德吓得声音发颤。

“别怕，”塞西尔舅舅笑起来，“蓝鲸吃小型海洋动物，比如磷虾。”

“我像磷虾吗？”阿诺德蹲下去，好让鲸看

**来自弗瑞丝小姐的讲堂**

## 酷寒中的小磷虾

磷虾是海洋动物，有点儿像虾。南极洲的磷虾大约只有3.8厘米长。成群浮游的磷虾可能宽达几千米。结队而游的磷虾会让海水变成粉红色！

鲸、海豹、企鹅和大鱼都吃磷虾，同时，渔船也会捕捞它们。

不见他。

“这才是磷虾的样子。”弗瑞丝小姐翻开一本书对阿诺德说，“跟你一点儿都不像。”

“我想看几只企鹅。”拉尔夫催促着。他在甲板上来来去去摇摆个不停，拍打着的胳膊很像企鹅的小翅膀。

“要不了多久就能看见了。”塞西尔舅舅告诉他，“企鹅也吃磷虾。也许在我们周围的海里，现在就有企鹅！”

大家都迅速拿起自己的望远镜寻觅四周。

突然，多罗西发出尖叫。

“快看前面那个岛！”她说，“全是黑白相间的鸟，真有趣！”

“企鹅群！”塞西尔舅舅叫着。听上去他和我们一样兴奋。

大家都跑到船头，把望远镜对准那座岛。我简直不敢相信自己的眼睛，它们是我见过的最

可爱的动物！

“让我们再靠近点儿！”塞西尔舅舅对弗瑞丝小姐说，“那是一整群帽带企鹅。”

“它们的下巴上真有带子吗？”我问舅舅。

“不，那只是它们的羽毛造型。”舅舅解释说，“在南极洲的水域中，帽带企鹅是数量最多的企鹅种类。”

岛上的帽带企鹅太多了，你几乎看不到上面的岩石！

## 塞西尔的企鹅报告
### 帽带企鹅

在南极洲，大约有1200万只帽带企鹅！它们叫帽带企鹅呢，是因为有一条带状的黑色羽毛，从一只耳朵，绕过它们的颏（也就是下巴），一直连到另一只耳朵下。

这些小企鹅最高不超过74厘米。帽带企鹅尽管很小，但它们却是所有企鹅中最勇敢的。

当我们渐渐靠近小岛时，我闻见一股味道，而且越来越重，其他人也开始用手捂住鼻子。

“呃——是什么味道？”汪达问。

塞西尔笑了，指着那群企鹅说：“是企鹅粪的味道。整座岛上布满了那种东西。”

“恶心！”汪达说，“它们需要空气清新剂。”

我注意到里兹已经变成黄绿色的，舌头也伸了出来。

“全速前进吧，弗瑞丝船长。”塞西尔说，“让大家呼吸点儿新鲜空气，去寻找其他种类的企鹅。”

我一只手捂着鼻子，另一只手向帽带企鹅挥别说再见。真不敢相信，它们竟然能忍受这种味道。回到新鲜又冰凉的空气中，我好高兴。

“弗瑞丝小姐！弗瑞丝小姐！”拉尔夫叫着，“前面是南极洲吗？”

大家都顺着拉尔夫手指的方向看去。我们的前方是巨大的冰块！

“那只是一座冰山。”弗瑞丝小姐对拉尔夫说。

“只是冰山？”汪达惊呼，“真大啊！”

没错，大得令人震惊。冰山直直地从水下伸出，还有许多白色的山峰。“那只是冰山顶端！”蒂姆说。

我开始紧张起来。我记得，泰坦尼克号就是撞到冰山后沉没的。“弗瑞丝小姐，船靠近冰山后，你能保证咱们会安全吗？”我问。

“别担心，菲比。”弗瑞丝小姐回答，“‘冰冰弗瑞丝号’会让大家安然无恙的。”

在我们经过冰山的整个时间里，我的心一直怦怦地跳着。在巨大冰山的映衬下，我们的船

**非常大的冰块**

蒂姆

浮出海面的只是冰山顶部。冰山的90%藏在海面以下。许多冰山都很大，有些是巨大。1987年，人们发现一座冰山，叫做B—9。它有154.46千米长，35.40千米宽，几乎与美国东部的特拉华州一样大！

就像一只漂在水上的玩具。

“在那里！”塞西尔舅舅突然大喊，“南极洲！”他指着远处巨大的白色悬崖。它看起来像冰山，只是更大。

弗瑞丝小姐朝海岸线开去。忽然，“冰冰弗瑞丝号”的一侧发出一声巨响。我们感觉到整条船都在摇晃。

“舅舅！”我紧张极了，小声问，“那是什么？”

“要镇静，菲比。”塞西尔舅舅说，“只是撞上了浮冰。和我们刚才经过的冰山相比，这不过是个小冰块。”

南极洲变得有些可怕，但弗瑞丝船长没想改变航向。突然，我们看见一个大型冰崖就在面前！

“那是什么？”卡洛斯问。

“大家看到的是罗斯冰棚。”塞西尔舅舅解

释道。

我注意到多罗西正忙着翻她的笔记本。我知道，早晚得听到多罗西广播电台的……

“根据我的资料显示，”多罗西开始播音，“冰棚形成于南极洲的边缘。”

“看见罗斯冰棚后面的山了吗？”塞西尔舅舅对大家说，“那是泰诺山。”

“那座山大约有3200米高，由很多的冰块组成。”弗瑞丝小姐说。

汪达自下而上看着这个锯齿状冰块，吓得全身发抖。“我应该是明白它为什么叫泰诺山了。”她说。（注：在英语里，Terror是“恐怖”的意思。）

当经过罗斯冰棚时，大家都在发抖。弗瑞丝小姐走进船舱，拿来一摞黄色的皮大衣。

“快穿上！”她命令同学们，“没有害怕的时间了！”

## 多罗西的笔记

### 旧冰块上落下的小碎片

冰棚是脱离陆地的大冰块。

罗斯冰棚大约60米高，960千米长，将近300米厚。它是南极洲海岸最大的漂浮冰棚。

# 4

尽管已经穿上厚外套，可当我看到旁边的企鹅时，还是觉得自己穿得太单薄了。

第一个发现企鹅的是阿诺德。

“企鹅！哇！”他大叫。

阿诺德指着一只黑白相间的企鹅，那个小家伙正站在冰崖边上。当“冰冰弗瑞丝号”绕冰崖航行时，我们又看见了一大群企鹅！

“瞧！它们都穿着晚礼服！”汪达喊着。

“它们要盛装出席企鹅聚会！”凯莎补充道。

企鹅摇摇摆摆地在冰崖上散步。不过它们行动起来好像毫无目的。

塞西尔舅舅的脸上写满兴奋，他走过来说：

“那些是阿德利企鹅。它们没有穿套装。它们只是穿着自己的羽毛 —— 非常特别的羽毛！”

我注意到，只要塞西尔舅舅谈到企鹅，他就会紧张地拍拍那只小箱子。嗯，箱子里一定有秘密！

## 塞西尔的企鹅报告

### 可爱的阿德利企鹅

- 阿德利企鹅的正面穿着白“衫”，脸上有大大的白眼圈。
- 在南极洲，约有250万只阿德利企鹅。
- 阿德利企鹅大约只有不到4千克重（也就是家猫的重量），70厘米高。
- 夏天里，阿德利企鹅在海边繁殖后代；在冬天，它们住在南极洲大陆外的浮冰上。

弗瑞丝小姐看了一眼船上的时钟。“该搭帐篷准备露营了！”她说，“咱们上岸吧！”

我不知道该怎么搭帐篷。但永远都不用担心——当神奇校车就在身边时！

我们靠近海岸，神奇校船变成一部神奇雪

上汽车了。一眨眼的工夫，雪车就载着我们在冰面上飞驰起来。雪车没有船那么宽敞——但速度绝对令人兴奋！我们开过了企鹅聚集的地方，蒂姆画出不少精彩的速写。我们就像一支雪上旅行队！

向南极洲内陆又行驶了一段，弗瑞丝小姐把雪上汽车停了下来。

“下车吧！”弗瑞丝小姐命令同学们，“咱们要在这里搭建营地。神奇校车需要充电，我们也需要保暖。”

大家一个接一个跳下雪车，周围的空气格外清新，身旁的积雪洁白闪亮。但雪色太白太亮，刺痛了我们的眼睛。

“我需要墨镜！”卡洛斯喊着。

“我也要！”其他同学也都纷纷嚷着。大家得眯着眼睛看世界了！

雪车上装了我们需要的所有东西。弗瑞丝

**来自弗瑞丝小姐的讲堂**

## 旅游警告

南极洲的天空清澈而干净。那里没有灰尘，没有污染，空气也很干燥。太阳，还有冰雪反射出的刺眼强光，使南极洲成为一个特别白特别亮的地方。对人的眼睛来说，这会造成伤害！如果不戴太阳镜，人类就会得雪盲症。

小姐和塞西尔舅舅发给我们每人一副特殊的太阳镜。然后，多罗西拍了几张我们在雪车座驾里的相片。

大家玩得好开心。

“同学们！”弗瑞丝小姐叫道，“现在可比你们想像的时间晚多了。今晚谁想露宿呀？”

我们都对露宿激动不已。弗瑞丝小姐说，我们明天可以去找更多企鹅。接着，她请求帮助，要支起过夜用的帐篷。

我立刻跑去帮忙，因为有一点是肯定的 —— 我需要一个温暖舒适的地方睡觉！

搭好啦！我们的帐篷看上去就像个圆屋顶！

“弗瑞丝小姐，”蒂姆问，“我们今晚要睡在地上还是冰上？”

“好问题，蒂姆。”弗瑞丝小姐回答，“你的脚下有陆地 —— 是在很深很深的下面。大家今

我冷极了，但这 眼镜也真是酷极了！

**来自弗瑞丝小姐的讲堂**

## 南极洲的冰帽

南极洲是一个很大的大陆，但几乎整个陆地都被冰雪覆盖着。即使是在夏天，大部分冰帽也有1600米左右厚。事实上，在南极洲，冰的重量已经使陆地被压到海平面之下了。

冰帽始终都在增长，已经长了几百万年了！尽管这里每年只下十几厘米的雪，但积雪极少会融化。

晚要睡在‘冰帽’上！”

搭帐篷是件很艰辛的工作，我们全都筋疲力尽了！阿诺德打了一个大大的哈欠，汪达也是。没多久，我们全都哈欠连连了。

“什么时候天黑呢？”卡洛斯揉着眼睛问，“我觉得现在应该超过我的上床时间了。”

多罗西拿出她的笔记本。

“稍等一分钟。”她对卡洛斯说，“我马上找到答案。”

多罗西翻着她的笔记本，然后看着卡洛斯

**多罗西的笔记**

**太阳永不落**

在每年夏天的几个星期里，南极洲的天一直是亮的。地球对太阳的倾斜角度很大，因此太阳在南极不会落下。在冬天，南极洲背对太阳，所以就是完全黑暗的。

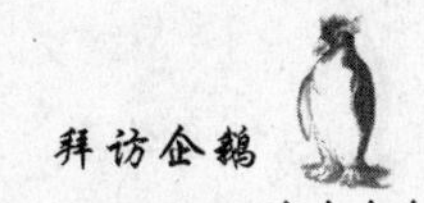

说："永远都不！"

"'永远都不'什么？"卡洛斯问。

"今晚根本不会天黑。"多罗西说，"在夏天，南极洲根本没有日落。"

"这地方真是奇怪。"卡洛斯说，"也许我得

戴着太阳镜睡觉了。”

我们全都挤进帐篷，在地板上铺好睡袋。有个凉凉的小东西爬到我身上。是里兹，看来它是想家了。

我一边想着第二天要去和企鹅玩耍，一边进入了甜蜜梦乡。

# 5

第二天早上，一个很奇怪的声音把我叫醒。我睁开眼睛，却想不出自己是在什么地方。噢，对了 —— 我在南极洲！

我看见舅舅正在炉子上煮燕麦粥，做早餐。我又听到那个奇怪的声音，就迅速爬了起来。

“塞西尔舅舅，”我小声问，“那是什么声音？”

“别担心，菲比。”塞西尔舅舅说，“那只是一只雄企鹅，正在寻找它的配偶。”

那只企鹅寻找配偶的叫声，把全班同学都吵醒了。大家打着哈欠，抱怨着，开始坐下来吃早餐。

弗瑞丝小姐坐在帐篷里的地上，敲着笔记本电脑。

“弗瑞丝小姐，我们今天要做些什么？”蒂姆问。

“我想对这里的气候多了解一些。”她说，“你们可以去找更多的企鹅。”

大家穿得暖暖和和，走出了帐篷。哇！这才是“猛”醒时分！

“是……什……么让风……这……么冷？”多罗西冻得牙齿打颤。

“是下降风。”弗瑞丝小姐解释。

“什么是下降风？”我问，“这风声真恐怖。”

“我们现在可以去和企鹅玩了吗？”拉尔夫问。

“我要留在这里再看一看，你们去吧。”弗瑞丝小姐说，“一定要做好笔记。另外，你们去找找塞西尔舅舅，他不知跑到哪里去了。”

来自弗瑞丝小姐的讲堂

## 那些疯狂的下降风

南极洲拥有世界上最强、最冷的风。当密度大的冷空气从冰帽流向海岸时，下降风就形成了。

大家向一群阿德利企鹅走过去，它们正躲在冰丘后面避风。

“它们一点儿也不怕咱们。”凯莎说。

“这本书上说，成年的阿德利企鹅在陆地上没有天敌。”多罗西讲道，“所以，它们在陆地上就没有害怕的本能。”

我们停下来，观察这群企鹅。

“我觉得它们在使用肢体语言互相说着什么。”汪达说。

嘿！各位！企鹅为什么走得这么轻柔，因为它不会沉重地走路！

企鹅们正在互相点头，用小翅膀做着动作。接着，我们听见早上把大家吵醒的那个声音。

“那是一只雄企鹅，正在寻找它的配偶。”我边说边觉得，懂得多真好。

“跟上它吧！”卡洛斯说。

于是，我们小心翼翼地跟在那只企鹅后面，它摇摇晃晃穿过冰面，把我们带到一只正坐在一堆岩石上的雌企鹅那里。雌企鹅站起来，让雄

企鹅坐在她的位子上。我们发现岩石间有两个企鹅蛋。

“它们快有宝宝了！”汪达兴奋地说。

多罗西又在翻她的笔记。“大家仔细听！”她说。

**多罗西的笔记**

**世世代代的阿德利企鹅**

在夏季比较暖和的几周里，阿德利企鹅会怀上孩子。一对企鹅要在高地上筑起一个坚固的巢。企鹅蛋需要始终保持温度。雄企鹅和雌企鹅轮流为蛋保暖，还要保护它们不被吃掉。如果一切顺利，大约30天后，小企鹅就破壳而出了。

“我希望能看见企鹅宝宝。”汪达说，“它们一定特别可爱。”

“我希望能在这里看见塞西尔舅舅。”我说，“他肯定知道这些蛋什么时候孵出来。”

“看那边！”阿诺德说，“那不是塞西尔的帽子吗？”

阿诺德说的没错。塞西尔舅舅那可笑的保暖帽帽尖，正从不远处的岩石堆上露出来。

“去问问他有关企鹅蛋的事吧。”汪达说。

大家朝塞西尔舅舅的方向跑去。可当我们出现在岩石堆时，他的脸上立刻显出惊愕的神情。然后，我发现他的最高机密箱开得大大的。

“塞西尔舅舅，”我气喘吁吁地问，“你在这里干吗？”

我们都盯着打开的箱子，里面有两个塑料水瓶，装着液体，还有几根企鹅羽毛。笔记本电脑的荧屏上正显示着一组科学公式。

“我……我……我想我是守不住秘密了。”塞西尔舅舅结结巴巴地说。

“这是你的企鹅实验吗？”我问。

“是的。”塞西尔舅舅说，“但还没有完成。你们能保证在我发表这些研究之前，不告诉任何人吗？”

“我们保证！”大家一起说。

塞西尔舅舅拿起其中一个瓶子说:“这个瓶子里有我配制的秘方。我利用在地上找到的这些羽毛来研究企鹅。”

“企鹅羽毛有什么特别吗?”阿诺德问。

“羽毛上有一种特别的油脂,让企鹅保持温暖和干燥。”塞西尔舅舅解释着。

“和很多科学家一样,你希望找出如何利用这些油脂来帮助人类,对吗?”多罗西兴奋地问。

“没错!”塞西尔舅舅回答说,“只是想……这可以帮助上百万的人。”

“下一步研究什么呢?”卡洛斯问。

“我想在自己身上测试秘方。”塞西尔舅舅回答,“这就是我要做的事情——现在!”

塞西尔脱下皮大衣,拿出一个塑胶瓶放在身边,我们全都屏住呼吸。但就在他准备把秘方喷到自己身上时,一只企鹅跳到他身后的石头

上嘎嘎大叫。

接下来的事情发生得太快！塞西尔舅舅惊讶地急转过身，滑倒在冰上。当他摔在地上的那一刻，意外地压到了那个瓶子。神秘配方喷出来——洒到我们身上！

还没来得及喊出“神秘配方”，我们几个已经都变成阿德利企鹅了！塞西尔舅舅诧异地盯着我们，可他没有我们震惊！我看着自己短短的身躯和小小的鳍状翼，真不知如何是好！

我看见阿诺德、汪达和其他同学正摇摇摆摆地朝海洋走去，只好奋起直追。

突然间，我有种要跳进冰水的冲动！

# 6

我全力加速，追在“多罗西企鹅”后面。我知道我得快一点儿，这样才不会掉队。但我的新企鹅腿太短了，只能迈着婴儿步！

从背后看，我分不清真企鹅与同学企鹅。弗瑞丝小姐该怎样找到我们呢？

这让我想起了塞西尔舅舅。我转身往后看，他正从冰上站起来。舅舅看起来真的十分困惑。我看见他正注视着我们这个“企鹅群”。

他知道在我们身上发生的事情吗？

“塞西尔舅舅！”我试着喊他。可我的声音刚刚大到一定程度，语言就变成企鹅的叫声了。我努力向舅舅挥着鳍状翼，却招来一群真企鹅

的注意，它们也向我挥动鳍状翼。

突然，我抑制不住要跳进冰水，回头再望一眼塞西尔舅舅，然后就跟同学企鹅们一起向水边跑去了。

在我前面是“多罗西企鹅”，她转身对我点头。我听见她的声音：“快看我！”

多罗西真够棒的！她将“肚子”贴在冰上，

像个雪橇似的冲下冰坡。我看见阿诺德、蒂姆和卡洛斯也在冰上用肚子滑行。他们不断扑打鳍状翼，让自己前进。

我可不想错过这么有趣的游戏！我贴在冰上，开始觉得有点儿害怕，但本能战胜了恐惧！我用脚向后推 —— 紧跟在卡洛斯后面飞快地滑下冰坡。

嗖……我像个职业选手一样滑在冰上！突然，前面有个东西吸引了我的注意力。冰棚的尽头！刹车在哪儿？我问自己。我怕掉进水里就会冻僵，可停不下来啊！

我努力减速，可鳍状翼根本不管用，我停不下来，瞬间飞出了冰崖。

扑通！我屏住呼吸，像鱼雷发射似的冲进水里。真没想到，在冰水里的感觉棒极了！塞西尔舅舅说的没错，企鹅羽毛确实让我又舒服又暖和。我扭动身体，来回转着，感觉十分悠闲自在。

扑通！又一只企鹅火箭般冲入水中，就在我的身边。我看了一眼它的脸，是“阿诺德企鹅” —— 表情好惊讶。我们两个肩并肩地在冰水里游着，一起体验新泳装。

我们的鳍状翼是不错的推进器，挥了一下，就射过水面。开始我们慢慢游，没多久，我们的速度就加快了许多，大约每小时能游8千米。但我俩还没有卡洛斯和多罗西快，他们正以每小时 11 千米的速度向前冲。

躲避身边的大冰块更好玩儿。我们的脚和尾巴大显神通，抽一下尾巴，扭一下身，我们就这样躲过了一块又一块大冰。

我和阿诺德练习了一阵子游泳技能。接着，我的企鹅肚子开始抱怨。我饿了！我不想吃人工处理过的鸡肉，我要吃生猛海鲜！

美食！我看见身下的岩石上有只嫩嫩的小乌贼。我用嘴把它挖出来，活吞下去，整整一

看我！不用鳍状翼！

只！开胃菜不错，现在要上主菜了。

我射入水中，寻觅磷虾。我注意到不远处那片海水是粉红色的，这一发现让我的肚子叫个不停。我张着大嘴直冲向磷虾群，嚼了满嘴磷虾后，“企鹅菲比”再次出击！

我们在水里玩了一会儿，遇到了其他同学。多罗西挥着她的鳍状翼，点了几下头。就是变成企鹅，她也还是当领导。

多罗西领头，我们开始在水中急速前进。接着，她做了个特别漂亮的动作。嗯，值得称赞。多罗西跳出水面，跃入空中——就像海豚一样。我们都在后面学起她的样子。海豚跳真有趣，有种飞翔的感觉！

太多好玩的事情，让我忽略了南极洲的食物链。我们企鹅吃磷虾和乌贼，可还有很多动物吃我们，像豹斑海豹、食人鲸——我只是随便例举了两个！

# 企鹅为什么做海豚跳？

企鹅菲比

企鹅真的是游泳好手。有些种类的企鹅，每小时可以游24千米。在像海豚一样跃出水面时，它们还能更快。空气中的阻力比水里小，因此它们的速度就提高了。

海豚跳可以让企鹅在空中迅速换气，也让掠食者更难抓到它们。

是什么让企鹅成为游泳高手的呢？

突然，我感到附近有危险。直觉告诉我，回到陆地就安全了——快！

快要接近冰崖时，我的企鹅之身真是神了！我用鳍状翼和脚纵身跳离水面，高高蹿上天，我能感觉到自己飞向了冰崖。就在最后一秒，我跳过崖顶。着陆！我松了一口气，梳理一下羽毛。哈！

我站在冰崖边，望着大海，一眼就看见有群企鹅在海里做着海豚跳，我能辨认出那是我的同学企鹅们，他们还在水里玩儿。这时，有个东西出现在眼前，让我的企鹅心跳开始加快！

一只豹斑海豹穿越水中，直冲多罗西！

哇！惨了！

# 7

这只海豹杀气腾腾，我要通报同学们。一刻也不能耽误！

“多罗西！蒂姆！卡洛斯！”我开始一个接一个地大喊他们的名字。从我嘴里出来的话，就像喧闹的嘶叫。我竟然能同时又说人话又发鸟叫！我在冰崖上面上蹿下跳，不断地嘶叫。

多罗西终于看见我了！她立刻明白麻烦来了。多罗西向冰崖游来，并冲其他同学摇着鳍状翼。于是同学企鹅们跟在她身后，从水里穿射回到冰崖上。

企鹅以黑背朝向海面时，是很难被发现的。豹斑海豹看不见同学企鹅们了。它不再游了，只

在水中寻找。等它又发现多罗西时，多罗西企鹅正从水中跳上冰棚。

多罗西松了口气。阿诺德、凯莎、卡洛斯、蒂姆、汪达和拉尔夫也都跳上了冰崖，回到安全的地方，大家好高兴。

“哇！太刺激了！”多罗西说。

“一个酷冷又冷酷的世界。”蒂姆补充道。

我们在冰崖上张望了一下。周围有几百只阿德利企鹅。有的企鹅奇怪地瞧着我们，还有一些不理会我们。

“你知道吗？我有种怪怪的感觉。”卡洛斯说。

“是什么？”汪达问。

“我好喜欢！”卡洛斯说。

“什么味？”汪达跟着问。

“这就是我要说的！”卡洛斯说，“我再也没有闻到粪便的气味。”

“也许……可能咱们不再是人类了！”汪达抽着鼻子说。

“如果我们永远回不了神奇校车怎么办？”阿诺德问。

我努力想出充满希望的话。

“弗瑞丝小姐会来救我们的……还有塞西尔舅舅。”我对阿诺德说，“等吧！”

“那现在，”多罗西说，“我们去附近观察企鹅巢吧。我还是想看看企鹅宝宝出生的样子！”

和平时一样，多罗西依然把心思放在科学上！

大家摇摇摆摆地走到几十只企鹅正在孵蛋的地方，其中有两只企鹅好像快要打起来了。

“看！一只企鹅从另一只企鹅那里偷了一块岩石。”汪达说。

“企鹅就是这样的。”多罗西解释，“我看过的一本书中说过，我们为了最佳的筑巢位置而竞争。”

“你说‘我们’是什么意思？”汪达问。

“哦，对了，我的意思是‘它们’。”多罗西纠正过来。

这时，一只阿德利雌企鹅走出自己的巢，摇摇摆摆来到阿诺德面前。它用企鹅的语言大声命令着阿诺德。

阿诺德只是盯着它看。然后，那只企鹅就用鳍状翼把阿诺德推向它的巢。

“不！不！”阿诺德抗议，“你找错人了，我不是你老公！”

雌企鹅根本不听阿诺德的叫喊，它把阿诺德推到自己的巢里，然后就向水边摇摆过去，刚走两步又回头瞪了阿诺德一眼：严禁离开！

“在你‘老婆’回来之前，阿诺德，看样子你不能起来呀！”蒂姆说。

“你最好把那些蛋孵得热热的。”卡洛斯说。他接着就笑起来，他的笑声后来变成了鸟叫。

嘿,阿诺德！最后那个蛋！

“不要离开我啊！”阿诺德恳求大家，“拜托了！”

看来，我们要当企鹅蛋的留守保姆了，可企鹅妈妈什么时候才能回来呢？

与此同时，在露营地里的弗瑞丝小姐正在测量冰帽，做着笔记。

她看见塞西尔从冰上滑过来。从他的表情能读出事态的严重！

“塞西尔！”弗瑞丝小姐看着舅舅问道，“怎么了？”

“我的实验发生了意外。”塞西尔舅舅喃喃地说，“我把孩子们变成企鹅了！”

“都变成企鹅了？”弗瑞丝小姐紧张地问。

“我把神秘配方喷到他们的身上了。”塞西尔舅舅解释，“纯属意外……但现在，同学们变成企鹅了。我到处都找不到他们！”

弗瑞丝小姐想了一下。“我们遇到一个必须

解开的企鹅之谜。”她继续说，“同类才能相识呢。”

“你是说……你的意思是，我们也变成企鹅？”塞西尔舅舅猜着。

“你还有足够的秘方吗？”弗瑞丝小姐问。

## 塞西尔的企鹅报告

### 皇帝企鹅

皇帝企鹅是所有企鹅中体型最大的。可长到1.1米高，27千克重。基本是成年人的一半大小。

南极洲的冬天寒冷、黑暗，皇帝企鹅是所有企鹅中唯一在这个时期繁殖后代的。雌企鹅生下一个蛋后就会离开，去海里。雄企鹅留在陆地孵蛋。它站立着保持蛋的温度，企鹅蛋要在“育儿袋”里孵72天！

为了保暖和保护，许多雄性皇帝企鹅会带着自己的蛋聚在一起；它们轮流执勤在温暖的里圈和寒冷的外圈。在这段时间里，无私的爸爸们全靠体内储存的脂肪维持生命，体重会减轻一半！

“还有一整瓶。”塞西尔舅舅回答。

“拿过来！”弗瑞丝小姐命令着，“准备摇摆！”

塞西尔舅舅从他的箱子里拿出最后一瓶秘方，递给弗瑞丝小姐，然后闭上眼睛。

几秒钟过后，一只巨大的皇帝企鹅站在了弗瑞丝小姐的面前。里兹只看了一眼，就跳进弗瑞丝小姐的皮衣口袋里了。

“是你吗？塞西尔先生？”弗瑞丝小姐诧异地问。

“我想是吧！”塞西尔的声音说。然后就变成了企鹅的叫声。

当塞西尔舅舅摇摆出去的时候，弗瑞丝小姐冲他喊道：“祝你好运！”

舅舅向一群阿德利企鹅走去。

“菲比！”他叫着，“阿诺德！多罗西！卡洛斯！”

## 塞西尔的企鹅报告

### 阿德利企鹅的婴儿食品

阿德利企鹅双亲轮流为它们的小企鹅保暖、喂食。当一只看家时，另外一只就去海里捕磷虾。它们会把磷虾放进肚里带回巢，利用反刍来喂养小宝宝。

没有一只企鹅答应。塞西尔从一群企鹅找到另一群企鹅，同时还要抗拒跳进海里的冲动。他知道自己必须把全部的心思放在寻找同学们上面。

这时，塞西尔企鹅路过一个阿德利企鹅的窝。一对企鹅父母正在哺育它们的宝宝。塞西尔舅舅用脑子拍下这一幕，回去要加进他的报告里。

塞西尔舅舅在阿德利企鹅群里找了一个多小时也没有见着同学们。在那数以千计的阿德利企鹅中，就是没有一只回答他。他只好放弃了。

舅舅慢慢地晃回营地。他不愿告诉弗瑞丝小姐这个消息。他们也许再也看不到菲比和其他同学了。永远！

# 8

弗瑞丝小姐远远地看见一只大型皇帝企鹅朝帐篷摇晃过来，孤单一只。

“塞西尔，他们在哪儿？”她大喊。

“我找不到他们。”塞西尔舅舅回答，“阿德利企鹅遍布每一个角落！”

“我绝不会放弃！”弗瑞丝小姐宣布。她跑向神奇雪上校车，爬进去发动引擎。

在隆隆的马达声中，神奇雪上校车的车顶伸出了一个巨大的螺旋桨，轮胎变成滑雪板。神奇雪上校车变成雪地直升机了！

弗瑞丝小姐坐在驾驶舱。她向塞西尔招呼着：“搜寻任务开始了！”

塞西尔舅舅摇晃到神奇直升机的门口，跳了进去。

随着引擎的轰鸣声，直升机飞了起来，直直地飞向南极洲蔚蓝的天空中。

弗瑞丝小姐飞到了冰棚上空。

“塞西尔，你最后一次是在哪里看到孩子们的？”弗瑞丝小姐问。

“一堆岩石后面。”塞西尔舅舅说，“就在这下面，在我们后面一点点。”

弗瑞丝小姐在空中转了个圈，急速冲向岩石，又在空中盘旋了一阵。

“你发现他们了吗？”她问。塞西尔舅舅把他的企鹅头伸出窗外，难过地摇摇头。

“让我想一下，如果我是企鹅，还会去哪里？”弗瑞丝小姐问自己。

这时，弗瑞丝小姐看见冰棚的尽头延伸到海里。于是，她拉升直升机的高度，向水面上空飞去。

“下面的企鹅多得数也数不清！”塞西尔舅舅沮丧地说。

“别担心，塞西尔！”弗瑞丝小姐大喊，“我们会找到他们的！”

她把飞机的高度降低了一些。听到直升机的声音，冰上的企鹅兴奋不已。它们乱作一团，向上看。

突然，弗瑞丝小姐呼了一口气。

“看！塞西尔！右下方！”

八只阿德利企鹅正盯着神奇校机，他们都有人类的面孔！

“找到了！”塞西尔舅舅叫着。

我们八只同学企鹅抬头仰望天空，满脸欢喜。

“他们看到我们了！”我大喊。

我们看见弗瑞丝小姐把直升机降落在冰上，其他企鹅四下逃散，只有我们在高兴地蹦着、跳着。

“弗瑞丝小姐！”多罗西松了一口气，大喊。

“塞西尔舅舅！”我大叫，“是你吗？”

塞西尔舅舅向我跑来，给了我一个巨大的企鹅拥抱。

“来吧！”弗瑞丝小姐说，“跳上神奇直升机！我要把你们带回营地。”

“可我不能离开。”阿诺德说，“在我‘老婆’回来之前，我还得孵这些蛋。”

阿诺德，真棒哟！

“阿诺德！？”弗瑞丝小姐说。

“我不是它真正的伴侣。”阿诺德说，“但我不能丢下它们不管，否则企鹅宝宝会死掉的。”

就在这时，我们听见嗒嗒的声音。阿诺德看见其中一个蛋，一张小小的嘴伸出蛋壳。一分钟

## 塞西尔的企鹅报告

### 怕冷的小企鹅

多数阿德利企鹅一次孵化两个蛋。两只小企鹅一前一后孵出来，时间上差不多。通常，其中一只会比较强壮，存活机率也比另一只大。

小企鹅刚出生时，由企鹅父母为它保暖。但两、三个星期后，企鹅宝宝就会长出一层厚厚的灰色绒毛。然后，它们就和其它小企鹅组成育儿群。

后，蛋壳的裂缝更大了，一只小小的鳍状翼伸了出来。

“哇！孵出来啦！”我说，“靠边点儿，阿诺德！”

阿诺德往旁边移了一些，这样，我们就能观察到小企鹅破壳而出的情景。

很快，企鹅宝宝脱离蛋壳。这时，企鹅妈妈摇摇摆摆地来到巢边。它推开阿诺德，接过它的孩子。

“我觉得你该离开了！”弗瑞丝小姐向阿诺德眨眨眼，“恭喜啊！”

弗瑞丝小姐爬上了神奇直升机，大家跟在后面。九只企鹅在直升机里太拥挤了！神奇校机急速飞向天空。

“喔！我热了！”阿诺德说。

“这些羽毛在冰天雪地里真的很棒。”塞西尔舅舅补充着，“但在室内就太厚了！”

“我们还不能脱掉‘外套’。”蒂姆抱怨。

神奇直升机降落在营地，我们都快被蒸熟了！大家迫不及待地想回到冰冷的空气中。

大家都争先恐后挤出直升机，塞西尔舅舅拉着我的鳍状翼说：“菲比，你看！”他指着神奇直升机的地板。

一层企鹅羽毛散落在上面，原来我们已经被热得脱了毛！

“我有个主意。”塞西尔说，“大家回到帐篷里吧！”

“可那里很热！”阿诺德抱怨。

“没错！”塞西尔舅舅说。

我们进到帐篷里，我开始出汗，很多汗水流在我的企鹅装里。

“我们会永远做企鹅吗？”汪达问弗瑞丝小姐。

阿诺德一听这话就哭了，抽噎着说：“我不想住在动物园！”

“我保证爸爸妈妈会来看我们的。”蒂姆说。

“我只想变回原来的我。”阿诺德说。

“阿诺德，我认为你的运气不错。”塞西尔说，“看看地板！”

所有企鹅同学都低头看地。我们周围的羽毛成堆，还有许多油。最棒的消息是，我们都有真的脚了！大家正在变回人类！

“耶！”卡洛斯说，“我再也不想穿这套衣服了！”

我跑过去拥抱塞西尔舅舅。他也变回了原来的他。

“肯定是热逆转了我的秘方效果。”塞西尔舅舅说，“谢天谢地！”

“现在你要怎样处置你的秘方呢？”多罗西问。

“一切都过去了，我不准备再做秘方了！”塞西尔舅舅回答，“我已经得到了教训——不要破坏大自然的力量！”

“可你的企鹅研究怎么办?”我问。

“我会继续研究下去。我要尽力在大自然里保护它们。”塞西尔舅舅说，“企鹅真是惹人喜爱的鸟类啊！”

“同学们，开始收拾行李！”弗瑞丝小姐宣布，“准备回家！”

每个人都在欢呼，特别是我们八个曾经是企鹅的同学。大家曾为此担心了好久呢！南极洲是个旅游胜地，但我不愿住在这里！

弗瑞丝小姐带我们出去。神奇校车又变成了神奇喷气机。大家收起帐篷，把所有东西打理好，我们保证，大家离开的时候，南极洲与我们刚刚看到它时一样干净清澈。

接着，我们走进神奇直升机，离开了这里。当飞机飞到冰棚上空时，我们向冰上的阿德利企鹅挥手道别。它们好像也向我们挥着鳍状翼说再见！真是一次让人难忘的历险！

# 9

“阿诺德，能把你的海报移过去一点吗？”多罗西请求着，“它占了我的地方。”

我们回到教室，一切都恢复了正常！

弗瑞丝小姐决定，在开始写鸟类报告前，我们应该先做南极洲的报告。于是，整间教室贴满了这次考察的图片和海报。

多罗西、阿诺德、凯莎、卡洛斯、汪达、拉尔夫、蒂姆和我一起做的报告一定会让弗瑞丝小姐大吃一惊的。

当我们把报告带进教室时，卡洛斯指挥着：“往后站！往后站！我们要过去。”

蒂姆、卡洛斯和汪达带了一个大盘子走进

教室。盘子上站着个东西，大概有60厘米高，用布遮着。

“菲比！”卡洛斯叫我，“准备好了吗？”

我点点头，走过去捏起布的一角，迅速掀开。

是一只和实物一般大的阿德利企鹅——用冰雕成的！

“酷！”凯莎说。

“是酷寒！”卡洛斯笑着说，“真的真的非常冷！”

说得对！我们刚进行了一趟“最酷”的实地考察。

# 企鹅，更多的企鹅

企鹅共有17种，其中4种住在南极洲，其他分布在世界各地。

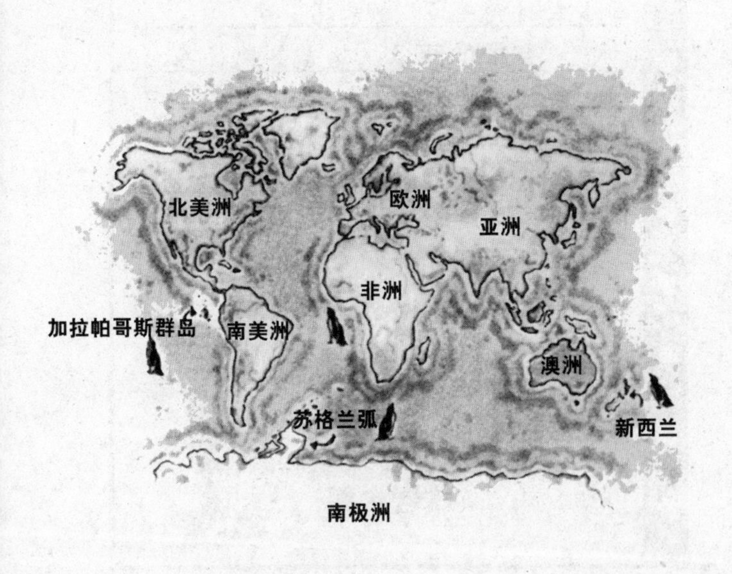

## 跳岩企鹅

卡洛斯

跳岩企鹅的头顶上有个明亮的冠子。它们在远离浮冰、比较温暖的亚南极繁殖后代。

**体型：**跳岩企鹅约重3千克，站立时约有53厘米高。

**有趣的事实：**跳岩企鹅住在多岩石的岛上，它们从一块石头跳到另一块石头上面——从此就有了它们的名字。

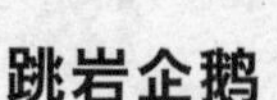
跳岩企鹅

# 加拉帕哥斯企鹅

凯 莎

加拉帕哥斯企鹅生活在加拉帕哥斯群岛上。因为这些岛屿位于赤道附近，所以这里的水是温的——不是所有的企鹅都生活在寒冷的气候中！加拉帕哥斯企鹅的脸上有两排棕色的羽毛，它们的嘴又细又长。

**体型：**加拉帕哥斯企鹅重约2.5千克，高约45厘米。

**有趣的事实：**加拉帕哥斯企鹅从不迁徙。

加拉帕哥斯企鹅

# 非洲企鹅

拉尔夫

你想过企鹅也能生活在非洲吗？嗯，的确能。非洲企鹅住在非洲西南海岸外的岛屿上。它们也叫“黑脚企鹅”。不幸的是，这种企鹅濒临灭绝。

**体型：** 非洲企鹅重约3.5千克，高约45厘米。

**有趣的事实：** 这种企鹅有些神秘，关于它们的研究是最少的。

非洲企鹅

# 马可罗尼企鹅

多罗西

马可罗尼企鹅住在南极洲边缘岛屿上，也住在南非和美国。它们在悬崖和山坡上筑巢。

**体型：**马可罗尼企鹅约有5千克重，身高60厘米多一点。

**有趣的事实：**马可罗尼企鹅长着可笑的头发！它们以黑脸和前额上那条橘黄色的冠子而出名。

# 小蓝企鹅

蒂姆

小蓝企鹅住在澳洲和新西兰沿岸。就像它们的名字，灰色的羽毛在阳光下泛着蓝光。

**体型：**小蓝企鹅大约有1千克重，25厘米高。

**有趣的事实：**小蓝企鹅晚上住在沙地的洞穴里，白天在海里。在澳大利亚，有一年一度的“企鹅游行”。黄昏时分，游客可以点灯看企鹅回到它们的家！

小蓝企鹅

# 巴布亚企鹅

汪 达

巴布亚企鹅是分布最广的企鹅种类。巴布亚企鹅的头顶有一条宽宽的白色条纹，就像一顶烟囱帽。它们用石头筑成圆形的巢，企鹅父母轮流孵蛋。当小企鹅长到9个月大时，就会加入其他的年轻企鹅群，彼此照顾。

**体型：** 巴布亚企鹅重约6千克，高约81厘米。

**有趣的事实：**

有些巴布亚企鹅有着鲜红色的眼睛。

巴布亚企鹅

## 来自《神奇校车》的词汇

| | |
|---|---|
| 大洋浮冰 | sea ice |
| 小蓝企鹅 | little-blue penguin |
| 北极圈 | Arctic |
| 企鹅 | penguin |
| 冰山 | iceberg |
| 冰丘 | hill of ice |
| 冰崖 | cliff of ice |
| 冰帽 | ice cap |
| 冰棚 | ice shelf |
| 秃鹰 | bald eagle |
| 育儿袋 | brood pouch |
| 亚南极 | sub-Antarctic |
| 知更鸟 | robin |
| 阿德利企鹅 | Adélie penguin |
| 非洲企鹅 | African penguin |
| 南极 | the South Pole |
| 南极洲 | Antarctica |

## 来自《神奇校车》的词汇

| | |
|---|---|
| 皇帝企鹅 | emperor penguin |
| 浮冰群 | pack ice |
| 乌贼 | squid |
| 豹斑海豹 | leopard seal |
| 马可罗尼企鹅 | macaroni penguin |
| 绅士企鹅 | gentoo penguin |
| 雪盲症 | snow blindness |
| 绒毛 | down |
| 黑脚企鹅 | black-footed penguin |
| 跳岩企鹅 | rockhopper penguin |
| 帽带企鹅 | chinstrap penguin |
| 磷虾 | krill |
| 蓝鲸 | blue whale |
| 罗斯冰棚 | the Rose Ice Shelf |
| 苏格兰弧 | The Scotia Arc |
| 鳍状翼 | flipper |
| 鹳 | stork |

# 神奇校车

## 第三辑介绍

**请搭上神奇校车，跟着神奇的弗瑞丝小姐和她那些精怪顽皮的学生，历经一次接一次精彩又刺激的自然科学大探索……**

### 神奇校车：穿越雷电

嗨，我是凯莎。你一定同意，天气是我们日常生活中特别重要的一部分。可你知道雨是如何产生的吗？你知道雷电是怎么形成的吗？你认识各种各样的云朵吗？嗯，有关气象的知识真是丰富多彩，快跟我一起去学习吧！

### 神奇校车：走进微生物

你们好！我是凯莎。一说起“细菌”，总让人觉得脏兮兮的。它是微生物大家族的一员。这个家族大极了，而且它们无处不在！你想知道细菌是怎么传播的吗？你想知道发烧是怎么回事吗？来和我一起变成小小的微生物吧！

### 神奇校车：逃离巨鲨

我是阿诺德。想不到吧，我们竟然亲眼见过鲨鱼！我们看见了很多种鲨鱼，见识了它们的超级感官能力，了解了各种鲨鱼的牙齿……这可不是一般的历险，因为我成了大家心目中的英雄，快来跟我一起出游吧！

### 神奇校车：拜访企鹅

我是弗瑞丝小姐班上的学生菲比。这次，我们去了南极洲，地球的最南端。南极洲的动物可有趣了，人见人爱的企鹅就生长在南极，那里还有冰山、冰棚。对了，这回阿诺德还被一只企鹅妈妈指派了特别任务，快来瞧瞧吧！

# 弗瑞丝小姐班里的学生

## 神奇校车：巡航北极

大家好，我是蒂姆。你听说过北极吧？那里有温顺的北美驯鹿，勇猛的麝香牛，有趣的海豹，奇怪的旅鼠。最重要的是，著名的北极熊就生长在那里。这次带我们踏上旅程的可不是普通人物。怎么回事呢？快跟我来！

## 神奇校车：怒海赏鲸

嗨！我是汪达。听说鲸鱼是最大的哺乳动物，我从没想到有一天能那么近地看见它。鲸鱼到底是不是鱼？你认识它们的喷雾吗？唔，还有很多有趣的知识。快跟我坐上“海星”号油轮去赏鲸吧。

## 神奇校车：跟踪昆虫

大家好，我是汪达。我有两只可爱的瓢虫宝宝。有一天，我的宝贝们失踪了，这可把我急坏了。不过，在寻找它们的过程中，我也对昆虫大家庭有了更多的了解。快和我一起去看看吧！

## 神奇校车：探寻蝙蝠

我叫拉尔夫，很高兴认识你们！蝙蝠是人类研究已久的动物，有关它们的事情和趣闻可多了。你想了解它们吃什么吗？你想知道它们住在哪里吗？你听说过回声定位吗？……让我慢慢讲给你听。

# 神奇校车

## 第一辑介绍

**请搭上神奇校车，跟着神奇的弗瑞丝小姐和她那些精怪顽皮的学生，历经一次接一次精彩又刺激的自然科学大探索……**

### 神奇校车：地球内部探秘

弗瑞丝小姐要求大家带石头到学校来，可许多同学都忘了。哈哈，又有机会出去上课了！每个人都抓把铲子或电动钻路机开始向下挖。神奇校车钻穿地壳，进到地球中心，又从火山冒出来。跟着最另类的地球科学老师，来趟前所未有的惊奇之旅，直攻地球科学的核心！

### 神奇校车：在人体中游览

弗瑞丝小姐和她班上的学生正坐在神奇校车上要前往博物馆。但就在大家停下来吃午餐时，灾难发生了。校车不但缩得很小，还掉入一包“奶酪饼”中，整班学生连人带车被吞了下去！这下子，弗瑞丝小姐的学生只有从人体内观看人体的一切了。他们首先穿越胃、小肠，进入血液；接着又去向心脏、肺和大脑。大家怎样才能离开人体呢？快来看看吧！

### 神奇校车：漫游电世界

弗瑞丝小姐和班里学生坐着神奇校车全部都缩小到可以钻进一条电线里，展开了一场“电的冒险之旅”。他们先到发电厂，仔细地参观电是怎么被“发”和“传”出来的；接着跑进图书馆的灯泡中，看它如何发亮；再到餐厅的烤面包机里，看它是怎么烤面包的；然后钻到菲比家的电器里，去看电锯怎样锯东西、吸尘器怎么吃灰尘、电视怎么产生影像和声音……最后，大家再从学校的插座里冒出来，回到教室。

### 神奇校车：水的故事

当弗瑞丝小姐宣布这次的校外教学要去自来水厂时，谁也没料到，这次“水的旅行”竟会那么惊险刺激！神奇校车一飞冲天，停在一朵白云上。全班学生顿时变成了大大小小的雨滴，先跌落到山中的小溪里，流浪到水库，又潜进了自来水厂，经过洗澡、消毒后，大家泡在了配水塔里，然后再钻进输水管，一路游到学校的女生厕所，哗啦啦——哗啦啦—— 嘿！全班同学一起从洗手台的水龙头里喷射出来……

## 神奇校车：海底探险

在弗瑞丝小姐的带领下，神奇校车载着同学们直接驶入海洋。过程惊险刺激，同学们可以下海去欣赏这些五彩缤纷、形形色色的海洋生物！神奇校车先驶过沙滩的“沙岸潮间带”，再进入“岩岸潮间带”，接着登上“大陆架的浅海域”，又沿着大陆斜坡往下驶入黑暗无光的“深海生态系”，最后在上升返航途中造访最美丽的“珊瑚礁生态系”。大家认识了各类不同的海洋生态系，了解了许多课本上没有的海洋知识。

## 神奇校车：奇妙的蜂巢

在这一次旅程中，神奇的校车变成了一辆蜂巢巴士，弗瑞丝小姐和她的学生们变成了小蜜蜂。大家一定要想办法混进蜂巢内，才能获得关于蜜蜂群体生活的第一手资料。书中将现实、幻想、冒险和幽默融合在一起，带领小读者探索蜜蜂的生活，发现它们是如何寻找食物、建筑巢室、制造蜂蜜和蜂蜡，了解它们照顾后代的方法。昆虫的生活原来是如此复杂多变、神奇美丽。

## 神奇校车：迷失在太阳系

弗瑞丝小姐班上的学生个个兴高采烈，因为他们要去参观天文馆。可谁知竟然休馆！幸好，神奇的老师有办法挽救这一切。校车变成了一艘太空船，直接穿越了大气层，载着弗瑞丝小姐和班上的同学冲向月球和更远的外太空！对弗瑞丝小姐来说，这虽然只是踩上油门踏板的一小步，但对神奇校车迷来说，却是扩大想像力的一大步——快跟随神奇校车飞入太空，展开前所未有、最棒的太阳系探索之旅吧！

## 神奇校车：追寻恐龙

弗瑞丝小姐要带她的学生去挖掘恐龙，看一看慈母龙的巢穴。但当同学们一到化石的国度，校车就化身成时光机器，送他们回到遥远的史前时代——恐龙仍在地球上悠游逍遥的时代。大家认识了各式各样超强的恐龙，还有它们的各种特性、本领，并探讨恐龙灭绝的原因；跟着最神奇的老师走一趟三叠纪、侏罗纪与白垩纪之旅，下载最新的恐龙资讯。快穿上你的迷彩装吧！

## 神奇校车：穿越飓风

有一股飓风正在热带海洋上空狂吹……一个怪异的黄色物体被卷入飓风漩涡当中。那是一个热气球……那是一架飞机……那是神奇校车！弗瑞丝小姐班上的同学没有到气象观测站参观，而是亲身从陆、海、空彻底体验了飓风。你可以在这里学到空气的变化如何影响天气的知识。当你置身飓风之中，风、雨、雷、闪电将呈现新的面貌！

## 神奇校车：探访感觉器官

对弗瑞丝小姐班上的学生来说，幽默感当然最重要！不过在最近一次探险中，他们又学到了视、听、嗅、味、触和其他更多的感觉！当弗瑞丝小姐离开学校时，忘了一件重要的事，新来的校长助理先生冲上神奇校车要去追她，整班的学生也一窝蜂跟上。就在一天将尽之前，他们一路跟踪弗瑞丝小姐，畅游了人的眼睛、耳朵、舌头，甚至跑到一只狗的鼻子里玩过了。

# 神奇校车

## 第二辑介绍

### 神奇校车：腐烂小分队

今天是“奇特科学项目”日。同学们得从自家的冰箱里找出一种霉变得很厉害的东西，带到学校里来。大家在做这件事情的时候，觉得很恶心。可当神奇校车开进腐朽的木头里时，大家发现，看似死的东西其实都是活的，而且还很奇妙呢。快来参加弗老师班上的“腐烂”冒险吧！

### 神奇校车：有趣的食物链

今天是海滩日，全班同学都兴高采烈——除了阿诺德和凯莎。他俩忘了做关于海边生物的报告。他们只带了金枪鱼三明治和一些臭的池塘绿藻。这两样东西与海滩日有关联吗？“学习的最好方法就是身临其境。”弗瑞丝小姐对大家宣布。一秒钟后，神奇校车冲入海中！

### 神奇校车：光与植物

什么地方搞错了？为了寻找答案，弗瑞丝小姐把菲比变成一株豆类植物。班上其他同学被缩小，钻进旁边的一棵植物里，去瞧瞧植物究竟吃些什么才能长大。来！让我们坐着神奇校车去进行一次奇妙的旅行，看看植物体内那间充满奥妙的食物生产工厂，解开“光合作用”的秘密！

### 神奇校车：把热留住

啊呃！阿诺德的热可可已经凉了。热跑到哪里去了？我们的弗瑞丝小姐肯定有办法！这回，我们和弗瑞丝小姐一起去北极圈，大家不仅知道了怎样让自己暖和起来，还学会了如何把身上的热留住。我们可爱的班级蜥蜴——里兹，又将如何在北极生存呢？

### 神奇校车：愉快飞行

怎么样才能飞起来呢？弗瑞丝小姐和班上的同学一起缩小到模型飞机里，他们找到了问题的答案。大家在一只老鹰的启发下，学习了怎样把飞机升上天，怎样在天上一直飞行，怎样驾驶飞机向左、向右转弯。胆小的阿诺德这次竟成了英雄！快来吧，飞翔的感觉真的很棒！

### 神奇校车：光的魔法

全班同学去看“发光表演”，可表演刚结束，阿诺德和他的表妹珍妮就失踪了！这时，整个戏院也都停电了。难道这家戏院闹鬼吗？紧接着，大家看见舞台上的鬼影子，竟然像极了阿诺德！凯莎知道那肯定是场恶作剧，但究竟是怎么变出来的呢？幸好，弗瑞丝小姐开着神奇校车过来了……

## 作者介绍

本书作者乔安娜·柯尔女士生于1944年。在开始创作儿童读物之前，她做过小学教师、图书管理员、儿童读物编辑；现在专事写作。迄今为止，乔安娜已经创作了九十多本儿童书。尽管乔安娜的书里包括童话和故事，但她总把自己首先定位为一名科普作家。乔安娜的作品广受科学界的赞扬，她以清晰、全面、易懂的创作向孩子们解释了复杂的科学主题。乔安娜曾因其在童书领域的卓越贡献，而获得华盛顿邮报童书协会的非小说类大奖，以及大卫·麦考文学奖。

本书插图作者布鲁斯·迪根先生出生于1945年。他非常热爱大自然，绘制过三十多本童书，包括杰西熊系列丛书(Jesse Bear series)。布鲁斯先生还是《离家远航》和《浆莓》两书的作者兼绘者。虽未受过专业插图训练，但他拥有向孩子和成人教授艺术的经历。

# 我的笔记

我的笔记